LEE EUN HYE
SPECIAL EDITION

BLUE

이은혜

LEE EUN HYE
SPECIAL EDITION

BLUE

이은혜

BLUE

LEE EUN HYE SPECIAL EDITION

BLUE 1권

BLUE 1권   8

BLUE

사람들은 숨김없이 자신을 내비칠 수 있는
거울을 찾아 떠난다.
그들이 원하는 것은 울어도 부끄럽지 않은
단 하나의 자유이다.

序曲

BLUE는 우리들의 그리움이다.
좌절과 방황 끝에 빛으로 만난 색의 共感地帶.

BLUE는 세상을 살아가는 여러 가지 인간 유형을
사랑이라는 공식으로 풀어나간다.

이미 성공의 열매를 맛보았다고 생각하는 프로들,
그 뒤에 함께 편승하려는 준프로들.

그리고 무한한 잠재력을 갖춘 아마추어들의
불꽃 튀는 life game….

그렇게 당신과 나,
우리들의 사랑은 시작된다.

이건 꿈이다.

유년의 햇살은
오래 전에 끝났으니까….

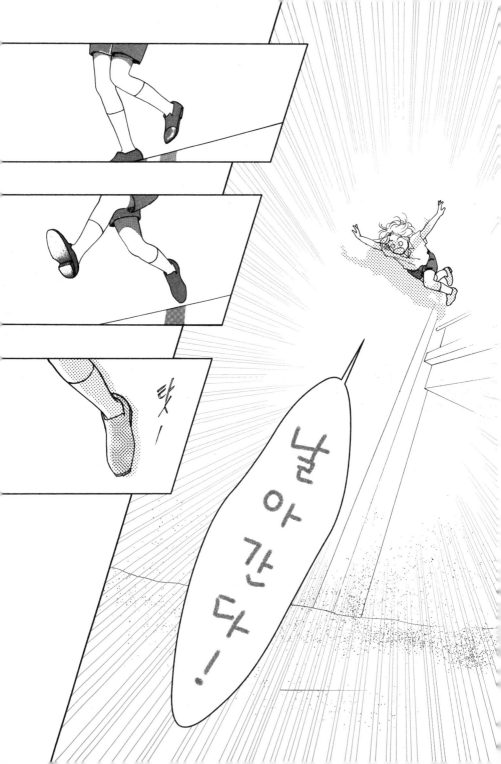

해준아!

너무 보고 싶은 연우야!
열일곱 번째 생일 축하한다.
너무 먼 곳이어서 키스도 못해주는구나,
물론 연우의 동의가 있어야겠지만...
나 없다고 땡땡이치지 말고 열심히 연습해.
승표에게 대신 부탁했으니까 생일파티 잘하고... 건강해.
P.S : 어쩌면 예정에 없는 선물이 있을지도 몰라.
너무 기대는 말고―

해준아…,
내가 원하는 선물은
네가 돌아오는 거야―.

줄담배
안 하신다
하셨잖아요.

뭐야, 또
방해물이…

이건 또 뭐야,
참새 떼들!
혼잡한 시간에
카메라 들이대
통행 방해?

어디서 눈을
치켜뜨는 거야?
내리는 법을 모른다면
반영구적으로
손봐줄 수도 있어.

아…, 아니에요!
죄송합니다!

잘못했어요!

지나가세요!

도와주십시오!
더 이상
회장님께
면목이…

부당당다능

역시 3학년
지희 언니가
가장 유력해!

각종 콩쿠르
경력으로 쳐봐도
그랑프리가 여섯 개!
환상적이야!

축하해!

우와—.
정말 생일
기분 나네!
너무 고마워!
승표야!

그건
해준이 대신.
그리고 이건
내 선물!

와~! 채 내숭!
대체 어디다
숨겨두었던 거야,
저런 킹카를?

순진한 얼굴로
호박씨 혼자
다 까고 있었구나,
야~~~!!!

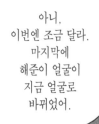

아니,
이번엔 조금 달라.
마지막에
해준이 얼굴이
지금 얼굴로
바뀌었어.

해준이 녀석
오래 살 거야.
내가 매일
욕하거든.

죽더라도
깨워놓을 테니
걱정 마.

빨리 물에
꽂았어야
하는데….

꽃이…
시들해졌어.

…….

그만
들어가야겠어.

해준이와 나의
바이오리듬은 같아.

녀석이 건강하면
나도 그렇고,
녀석이 힘들면
나도 그렇고,
녀석이 기쁘면
나도 그렇고.

녀석이
사랑하면
나도 그래.

…….

해준이 선물
하나 더 있어.

카드에는
기대하지 말라더니
보냈구나! 뭐야?

일단 눈을
감아.

애태우지
말고
보여줘!

마음
변하기 전에
눈 감아.

……

그리고
눈을 뜨면
난 해준이야.

난…
해준이야.

하나,

눈을 감고
하나, 둘, 셋을
세는 거야.

둘,

셋…

해준아!

연우…．

거짓말…．

연우야.

…싫어.

동감이야.

해준이
여기
있거든.

연우야!

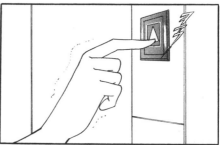

너무하잖아,
아직
자정 되려면
멀었는데.

보고 싶었어,
연우야.

사실은 내가 더
보고 싶어서
온 거야.

해준아….

해준아…

해준아…

해준아….

BLUE GUY―.

어떻게
된 거야?

보고 싶었다.

어디서
그런 용기가
났던 거야?
질투 이전에
감탄했다.

내가 알아온 승표로는
도저히 상상도 못할
일이었어.

연우에게 최면을
걸기란 쉬웠어.
너의 이름 하나면
충분한 주문이
되니까.

입학식 이후로 또 한 번 파문이 일겠군! 그 머리 때문에 말이야.

교장 선생님께서 해준이 편애하시다 남은 머리마저 빠지시는 거 아닌가?

이번 기회에 남고 무용반을 신설하면 어떨까요?

하하하―. 구름 떼처럼 모일 거야, 아마도.

뉴욕에서 무용 연수를 받느라 2학기부터 합류하게 된 이해준이다.

여러분의 학우애로 잘 이끌어주기 바란다.

성질 많이 죽었구나, 이해준!

사소한 일에 바칠 일 있냐.

숙녀 소리를 극복해내다니, 하하하.

점심은?

저녁 때 레슨 갈 텐데 참지 그래?

이거!

어디 없을까? 잠시 뛸 수 있는 공간만 있으면 돼!

ONCE IN A BLUE MOON

음...

저 바보들에게 눈요기가 돼주긴 좀 그렇지만 운동장에서 뛰어?

정식으로
티켓 끊고 오시면
얼마든지―.

찰
랑‥

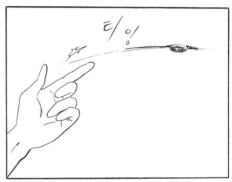

티잉

데구르ㄹ ㄹ ㄹ ㄹ‥

됐지?

리허설 티켓은
팔지 않습니다.

무슨 프로가
그래?

돈 값은
해야지.

그냥 가자.

돈이 필요하면
구걸을 해.

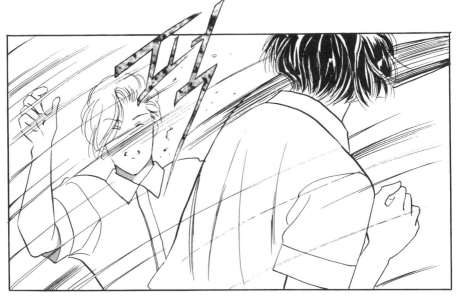

바로
그 자세로
말이야.

말해봐,
몇 장이면
돼?

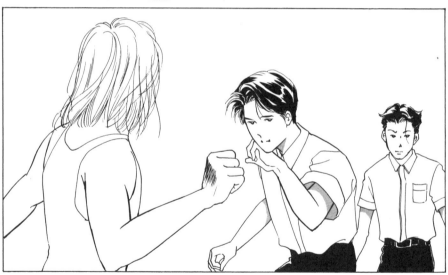

BLUE

BLUE

BLUE ISLAND 홍승표

새로운 날개가 돋기를 기다리는 외로운 섬.

그 질곡의 삶이 현실로 떠오른 계기는
열다섯 생일, 생모의 존재를 알게 된 이후이다.
어머니의 서러운 죽음,
결코 이룰 수 없는 꿈의 첫사랑 연우,
사랑하기에 더욱 아픈 최초의 우정 해준,
해준만을 바라보는 연우를 떠나보낸 그에게
새로움으로 다가서는 차가운 바다 현빈.
그러나 이미 그녀의 주인은
황금빛으로 물들인 태양 하윤이다.

가문의
내력이란 게 그런 거지.
피가 역류할 만큼
주먹질을 해야
진정될 거다.

이번엔 다소
충격적인 재능도
발견했다만~.

몸이
재산인 놈이
목숨 걸고
뛰어들 정도면…,

게이가
아닌 다음에야
천부적 재능이
아닌가?

계집애는
아니었구나,
꼬맹이.

어허!

대체 안에서 밀 하는 겁니까?

동생 잡아먹는 형은 아니니까 걱정 마.

……

난 네 말씨가 마음에 들어. 모처럼 반했는데 초 치지 마.

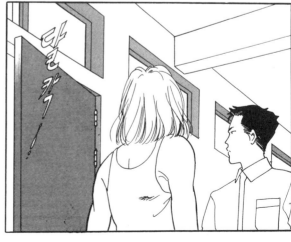

달 칵!

어머니,
저 준이에요.

아뇨,
무슨 일이 있긴요.
점심 때 좀
무리했거든요.
몸을 제대로 풀지
못했던가 봐요.

내일 레슨 때
보충할 겁니다.

안녕히 계세요,
어머니!

하하하.
알겠습니다,
어머니!

…?

우리 어머니께서 너한테 자장가 불러주라신다.

오늘 밤은 이 형아가 꼭 안아줄 테니 외롭지 않을 거다.

징그럽다, 누가 같이 잔대?

자유!

그렇게 떨어져 있었으면서 자유를 찾아? 넌 미국이 옆집쯤으로 생각되냐?

넌 모를 거다. 구속 받는 즐거움! 그 속에서 쟁취한 짧은 자유! 외박 허가의 환희 같은 것 말이야.

알 턱이 없잖아.

너와 난 근본이 다르니까.

확실히 닮은
구석이 있구나,
네 형제와.

혼돈의 세계에
서 있는 거라면
그럴지도.

그의 말대로
가문의
내력이라면,
처음부터 정해진
내 몫이겠지.

혼돈은 너의
전유물이 아니야.
나 역시
천국과 지옥을
오가고
있으니까.

한 번쯤
날 사랑한다
말해줄 수는
없니?

또 마음
못 읽는다
말하고 싶겠지?
난 꼭 한 번은
듣고 싶다.

이해준,
넌 너무
욕심이 많아.

언제나
허무한 내일이지만
난 매일 기다려.
새로운 날개가
돋지 않을까 하면서.
그 시간조차 용납할 수
없는 거야?

어이! 신현빈!

이것 좀 내 책상에 놓아줄래?

네, 선생님!

흥! 또 쟤야?

이건 수고비! 주머니 속에 있어서 조금 녹았을지도.

와—, 초콜릿! 고맙습니다!

왕재수! 간드러지는 목소리 봐.

으윽—, 닭살!

칼침 맞기 전에 적당히 모셔. 내가 불안해.

내가 어쨌는데?

인기인 옆에 있으면 무조건 싫은 거 모르냐?

짠!

와우!

뭐 하는 거야?

I.Q 테스트
좀 해볼까?

현명한 선택은 무엇일까?
예문 1로 답이 정해지면
방과 후 JOY로 와.

딩동 뎅동 뎅동 뎅동

기말고사가
얼마 남지 않았다.
모두 총정리에
박차를 가하도록.

그리고…
김현자, 문선이,
정은이,
교무실로 와.

너 미쳤니?
걔들이
가만둘 것 같아?

선생님들이
널 얼만큼
보호해줄 수
있다고
생각하냐?

허세부리는
애들 따위
신경 끄고
공부나 해.

위대하다, 신현빈!
대쪽 성격
너는 편해도
난 불안해.

너무 뻣뻣하면
부러진다고!

매점 안 갈래?
난 출출한데
넌?

기막혀
말도 안 나온다.
그래~, 마음대로 해.
네 인생인데 뭐…

다녀올게.

현빈아!

야아―,
머리 나쁜
뚝뚝이!

그 머리 갖고
공부는 어떻게
되나 몰라.

꿇어!

무릎
꿇으란 말이야!

이거—
순 돌이네,
진짜?

하
아

이런 독종
처음이다,
후아…

글쎄,
과연 그럴까?

고개 빳빳이
들고 다닐 만큼
자신 있어 하는 얼굴에,

울긋불긋
꽃동산을 만들어
준대도?

절대 네 뜻대로
안 될걸.

뭐 이런 애가
다 있지?
전혀 겁내지
않고 있어.
평범한 애가 아냐…

선생님!
여기 있어요!

튀어!

뭐야?!

서지 못해!
이놈의 자식들!

현빈아!

현빈아!
괜찮아?
얼굴 좀 들어봐!

Les Passagers de Air France qui partiront pour Paris à 2h. 40, entrez dans la sortie 87, S' il vous plait.

2시 40분 파리행
에어프랑스 승객께서는
87번 게이트로 들어가주시기
바랍니다.

The passengers of the
Air France who will
start for Paris, at 2h. 40,
enter the gate 87, please.

잘 봐두세요.
언제 뵐지 모르니까.

제가 왜
여기까지 왔는지
생각해보셨어요?

전혀 낯선 행동을
할 때는 한 번쯤
의심해보는 게
자연스러운 겁니다.

뭘 말하고
싶은 거냐.

돌아가기로
했습니다.
여긴 제가 머물 곳이
없어요.

무엇을 하든
연락은 자주
해주었으면
좋겠구나.

너에 대해
알고 있어야 할
의무는 있으니까.

이건 어머니
속마음이죠.
아무 말도
표현할 수 없는
어머니가 가여워요.
대신해드려야 하는
분이니까.

이젠 제가
기회를 드리지
않을 테니까요.

평생
안아주거나 하진
못하실 겁니다.

뭐 마실래?

으음…, 헤더!

이런!

배가 고픈데?

뭔가 만들어 올게.

오우!
이런!

방해받지 않아
좋았잖아.

통화 중인 줄 알면
방문자가
있게 된다구.

왜?
겁나는
친구라도 있어?

누구세요?

아직 자고
있었어?

아….

누구?

방해가 됐군.

갈게.

Rayoon,
하윤!

뭐야,
그 애송이
동양놈인가?

La ferme!
닥쳐!

들어오라 그래,
셋이 어울리는 것도
괜찮으니까.

하윤!

네 말대로
난 너의 남편도
뭣도 아니야.
그렇다 해도
상관할 수 없었겠지.

화를 내.
너의 그 모습이
보기 좋아.

…헤더.

내가
이곳에 존재하는
단 하나의 이유가
될 수 있는
이름이었어.

헤더, 그 바람둥이!
이번엔 또 어떤 놈이야?

설마 그 일로
떠나는 건
아니겠지?

설마….
하하하.

젠장! 어디서
너 같은 녀석을
만나라고~!!

헤이!
그러지 말고
마음을 고쳐!

넌 여기서 성공할 수 있어!

함께 세계를 잡아보자고!

어째서 돌아가려는 거야?

돌아간다구요?

아미! 이 친구 좀 설득해봐!

이런 기회는 다시 없어!

언제 떠나요?

내일.

곤...
돌아올 거죠?

아니.

함께 떠나요,
좀 더 있다가.

어디선가
만나게 되겠지.

살아서
인연이 계속
된다면.

물론이에요.
나머지 4년
꼭 채우고
따라갈 거니까.

유학 생활,
힘든 1년이었지만
하윤 씨 때문에
적응할 수
있었어요.

헤더 때문에
가까이 갈 수
없었지만….

알아요?
나, 하윤 씨
사랑하는 거?

절대 놓치지
않을 거야….

난 널
사랑하지 않아.

헤더 역시
사랑하지 않았어요.

하윤 씨가
빠져 있다고
느낀 사랑은
영혼이
없는 거예요.

헤더는
하윤 씨 영혼을
볼 수 없었지만,

난 보여요.
불행하게도
당신조차 느끼지
못하는 그 빛이
난 보였어요.

당신에겐 특별한
마력이 있어.
절대적인
어떤 것…

생각할
여지 없이 그저
끌려들어가게 해요.

카리스마.

평생을
한숨과 눈물로
산다 해도…,

오늘 밤을
후회하지
않을 거예요.

BLUE

BLUE

BLUE TEARS 신현빈

얼어붙은 차가운 불꽃.

대입 실패로 좌절의 눈물을
최초로 경험한 그녀는
겨울에 자신을 가둔 얼음공주처럼
주변의 온기를 차단하고 살았다.
BLUE 앨범 아트를 하며
알게 된 하윤의 카리스마,
지칠 때마다 그늘이 되어주는
다정한 승표의 배려.
두 사람을 가슴에 품으며
얼음장벽은 녹아내리지만
뜨거운 두 마음의 혼돈으로 힘겨워한다.

말도 안 돼!

뭔가 착오가 생긴 거야! 네가 떨어질 리가 없어, 현빈아!

교학과에 가보자! 뭔가 잘못된 게 틀림없어!

아니…, 이미 알고 있었어.

마지막 확인이었어.

…축하해.
너 정말 열심히 했어.
당연해!

이런 일…
생각도 못했어.
난 떨어질 각오
했었단 말이야.
어떻게 네가…

…먼저 갈게.

현빈아….

미안…,
혼자 있고
싶어.

이해준!
수석 턱 내야지?

실기가 살렸다,
이해준!
외국 물이 좋긴 좋구나,
야~!!

고전 무용이었으면
어림도 없었지.
그건 김치 국물
많이 먹은 사람 거야.

과연!

하 하 하

뭐 하는 거야?

못 믿겠으니까
구체적인
표현을 해줘.

뭐….

키스라도
해주든지.

이 쉐키!

아하하하하하!
피터팬에게는 좀
과한 농담이지?

Congratulations!
여러분!

안녕~, 발레리나!

오늘 더 예쁜데, 채연우!

너희들도!

축하!

쫘

축하!

축하!

축하!

어엇—!

시험 끝난 후는
허무했는데,
모두 합격하니까
너무 행복해!

연우가
행복하니까
나도 행복해!

승표가
행복하니까
나도 행복해!

하하하!
역시 승표야!

내 손도 잡아줘,
연우야.
다 느껴진단 말이야.

내 친구!
물론이야!

와아….
행복하다!

고교 졸업하고
미성년자에서
벗어나는 게
어떤 차이가 있을까?

책임감….
이제 실수는
용서받지
못할 거야.

두려워.

그건 관념이고,
내 생각은 보다 더 심플해!
예를 들면 이런 거지.

언제 어디서건
연우랑 맘껏 뽀뽀해도
누가 뭐랄 수 없다든가….

에잇!

정말~!

타다다!

으앗!
내가 뭘~!
사실이잖아!

우리 무겁게
살지 말자.

존재 자체가
무게인 거야.

현실적이라는 건
더욱 비극적이고.

너의 숙제가
그걸
잊는 거다.

가끔은
잊혀질 때도 있어.
천사를 만났을 때.

승표야…

우리
춤추러 가자.

같은
학교여서
좋겠다.

승표도
무용할걸
그랬지?
지금이라도.

하하, 농담도.

난 난 눈을 감아요 ...그대와의 시간은 멈춰지고...

그대 안의 블루—.

아가씨,
한 곡 청해도
될까요?

이런 건
춰본 적
없는데.

나만 따라와.

컸구나, 너.

아버지를 바람 맞힐 정도라니, 훗—.

기다리시게 하는 만큼 네가 힘들 텐데.

대신 위로라도 해드리지 그래? 승진 형 전문 아닌가?

볼수록 정들게 한단 말이야…

뭐야, 고딩 입장 불가인데 누가 들여 보냈어?

내 일행이야.

현빈아?
신영이 전화다.

현빈아!

현빈이
잠들었나 봐.

그래,

응…

꼼짝도
않는 거요?
고집불통 하고는….

내버려둬요.
오죽 속이
쓰리겠어요.

그 점수 갖고 어딘 못 가나?
후기도 있고
단과도 많구만.

목표한 것
이외에는
돌아보지
않는 애예요.

살다 보면
원하는 바와 달리
다른 것을 선택하기도
하는 거요.
너무 외곬으로 키웠어.

지금껏 한 번도
실패한 적이
없어요.
열심히 한 만큼
뜻대로
성취해왔으니….

단순히
떨어진 의미가
아닐 거예요.
처음으로 거부라는 걸
당했다고 생각하는 것
같아요.

경쟁이
심하다 들었는데,
고생이
많았겠구나.

운이
좋았습니다.

거저 얻는
운은 없다.
모든 게
실력이지.

어부지리라는 것도
있습니다.

많이
건조해졌구나.

이제
돌아올 때가
되지 않았니?

승진이도
함께 있기로
했고.

어머님도
함께요?

제가 없으면
어머니를
돌볼 사람이
없습니다.

그것
넣어두어라.

늦었습니다.
이만…

어머님이
충분히
해주십니다.

……

홍승진,
타협하셨더군.

기억 안 나?
최초의 타협은
너와 했어.
네 목숨을 건
친구와 함께.

왜 살려줬을까?

널 묻어
버리는 게
소원인데,

그때 너의 눈물이
답이라고 생각했어.

모두
비정상이야.

자만하지 마라.
널 용서한 건
아니니까.

오늘의 마지막 곡
Lucifer's Friend 의
「My Love」입니다.

그럼,
내일 밤 밀회를 약속하며
하제는 이만 물러갑니다.
잘 자요~.

Hi··!

취재 끝나고
근처에서 회식했어요.
생각나서 들렀지 뭐.

누구
취재했어요?

턴테이블스.

그 친구들
요즘 잘 나가.
오늘 신청곡도
엄청났죠.

이제
춤 못 추면
가수 힘들어.

죄다
댄스! 댄스! 댄스!
테크노 일색~!
지겨워!

송 차장님은
원래 Rock
마니아셨죠?

정말이지
정통 Rock이 그리워요.
Rock에 미쳐
바친 청춘 10년인데.

맞아~.
우리 Rock지 창간
전부 주도하셨는데~.

어디 없나?
K-ROCK 이끌
진짜 카리스마 하나
나타났음 좋겠어요.

BLUE

그룹 하나
직접 만드세요.
멤버 카리스마
조련시키고~.

딱

내가 노래하는
재능 있었다면
진즉에
나섰을 거야.

유감스럽게
생각하고
있어요.

아~,
맞다!

얼마 전 후배가
대학로에서
로컬 밴드를 봤는데
아주 대단했다고
하더군요.

그래요?

특히 보컬이
카리스마
작렬이라고~.

카리스마라….

됐어, 해준아.
혼자 올라갈게.

여기서
귀신한테
널 빼앗길 수는
없지.

넌 엘리베이터
귀신 얘기 모르냐?
겁도 없이 여자애가.

으아~~, 몰라!
왜 생각나게 해!

자! 올라갑니다,
손님!

고마워,
해준아!

으흠.

?

내가 아직도
해준으로
보이니?

아아악~!
싫어!

연우야!

너무해!
무섭단
말이야!

어후—,
겁쟁이!

내가 있는데
뭐가 무서워?

쿵!

악‥

이 바보!
빨리 데리고
살아야지
안 되겠다.

지이이잉······

들어갈게.

해준아···,
너 알고 있니?

좋은 꿈 꿔.

난 네가 아는 것보다
더 많이 너를 생각해.

첫 키스는
너이길 바랐어.

승표가 너로
보일 만큼….

승표야….

왜
깨셨어요.

우리 승표….

엄마는…
승표 없으면
죽을 거다.

제가
지킬게요.

저도 어머니
안 계시면
안 돼요.

윤 선배!
비쌀 때 투자해라,
순이익 1000%
보장한다!

또 패션쇼
이야기여?

집요한
녀석들이네,
참말로….

선배잉

전과해라,
신방과로.
기자 근성
농후해!

윤 선배님!

뉴욕 연수 때
날 물먹인
녀석이야.

아이고오~,
또….

통쾌한 뉴스였지!

찬조 출연으로
기립 박수
받아낸 놈~!!

실기에서 교수님들
떡실신시켰다는
소문 들었어!

언제 한번
보여줘요~.

이건
작품이야!

뭐…
뭐야?

우~!
완벽해!

윤 선배 빼줄 테니까,
이 친구 좀 설득해줘!
놓치면 통탄할 것 같아!!

뭐 하는 겁니까?

압도적이지?
저 녀석 모르면
이 학교 학생이
아니란 말이
있을 정도다.

방송 녹화가
8시 엔딩 예정이면
9시 이후로 밀릴 게 뻔한데,
우리 쪽 팬클럽이
너무 기다리잖아!

왜 하필 같은 시간대
같은 장소야? 새끼들!
학예회를 방송 권력으로
포장하면 가려질 줄 아나?

시바~!
그냥 옆자리 깔자고~.
사운드라면 절대
안 밀려~!!!

저쪽은
아이돌
총출동이여~.

너 빠져!
쫄아서
뭘 하겠어?

짜식! 어디다
발을….

내일로
미룰까?

느낄 수 있는 자들만 따라오면 돼.

정면으로 붙자.

예에~!! 역쉬 칼 있으마~!!!

Rock will never die!

턴테이블스!

턴테이블스로
계속 포문을
여는구만!

자기 왔어?

4시 반부터
녹화 들어가면
6시 넘겠지?

왜, 약속 있어?

응, 인터뷰.
신비,
겨우 잡았어.

그 신비느님을?
다크호스 킬러답다!

수고!

한잔 하자.
새벽도
좋으니까.

O·K!

가시는
거예요?

수고해요!

잠깐만요,
송 차장님!

...우

오, 안녕~. 하제 씨!

오늘 저번에 말한 로컬 밴드 공연 볼 수 있을지도 몰라요! 출구 쪽 간이 공연 팀과 논의 중이라니…,

기대해 보자구요!

진짜? 와~! 무산 안 돼서 다행이다!!!

그럼 이따 봬요.

인터뷰 도와줄 거죠?

방송 녹화만 아니었으면 메인 무대 섰을 텐데!

그러니 더 기대가 되죠!

흐음―. 방송국과 정면승부라!

현빈아!

오지 마!
파편이 흩어졌어.

현빈아,
네 발!

모든 것이
날 거부해.

손 닿는 것들
전부가
부서지고 말아.
주술에 걸렸나 봐,
아주 지독한….

너답지
않아!

오지 마!

차라리
울어버려!
다친 핑계를 대고
펑펑 울어버리란
말이야!

바보!

BLUE

BLUE SKY 이해준

飛
더 높은 하늘 위를 날고 싶어.

언젠가 뉴욕을 삼켜버리겠다는
자신만만 현대무용학도 해준.
승표, 연우의 엇갈린 감정을 알지만
유년의 평화를 염려하며
사랑과 우정의 줄타기를 하던 중,
다른 사랑을 품고 승표에게 위로받는
현빈을 보게 된다.
이기적인 그녀를 경계하지만
어느새 자신의 빗장이
먼저 풀려버렸음을 깨닫는다.

출연: All Star~☆
HOOT 두우스 쟈아키
솔찬이 조송모 연정화
선테지와 아아들 김곤모
이승완 신승운 미스터 Q

겨울축제

까아ㅡ꺄

하제 오빠!

오빠아!!!

오빠!
얼굴 좀
보여줘요!

색유리라
안쪽이 안 보여~,
오빠!

유리창 내려요!

뭐야, 저 여자!

하제 오빠 차에 왜 타는 거야?

와악~!

악!

악!

제 명에 못 살지. 휴우~.

탁

왕대박 씨는 잘 찍었어요?

응! 정말 애먹었다.

그래도 〈MUSE〉 쪽 사진은 찍네요. 뭐, 워낙 사진 잘 빼기로 소문난 〈MUSE〉니까.

이재하 씨가 한 몫 단단히 하고 있지.

BLUE다!

라이브 하나 봐!!!

이게 웬 횡재냐?

꺄야아—!
진짜 BLUE 멤버들이야!

와아악!

BLUE?

드디어
시작했나 보네요!
먼저 가서 보세요.
난 무대 마치는 대로
갈게요.

왕두근거려!

팬클럽 호응 보니…
벌써 골수팬들이
꽤 있네요?

와서 들었는데,
J·T 클럽 새 보컬
영입 후 BLUE로
밴드 이름을
바꿨다 하더군요.

정말 기대된다!
J·T 클럽 연주
꽤 고급스러웠어!!

Rock!

Rock!

Rock!

Rock!

Rock!

Since I was born
they couldn't hold me down.

We are the young
so raise your hands,

They call us problem child.
그들은 우릴 문제아라 부르지.

We are the youth gone wild.
우리는 와일드한 청춘.

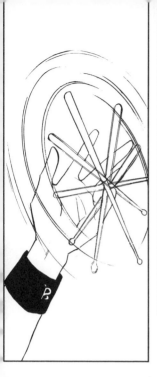

We are the young, so shout it out.
우린 젊어, 그러니 소리쳐.

We're the one and one for all.
우리는 하나, 그렇게 전부.
We're the youth gone wild.
우린 와일드한 청춘이야.

카리스마!!!

ROCK!

ROCK!

ROCK!

이 친구들
굉장하잖아!
이건 뭐….

어?

송 차장님!

아

이쪽에 계시면
어떡해요?
겨울 축제 취재….

저 친구들
찍어요!
어서!

예?

따라와요.

어때,
모두들···,

무사한 거지?

끼얏호!

미치겠다!

옙!
예스!
예스!

와아~!
이거, 이거!
찌릿찌릿해서
가까이 가겠나, 어디!
굉장한데!!!

선배님!

윤 선배!

두 사람
연인 맞지?

아이고오~, 또!
그런 거
아니라니까!

정말이지?

오! 신이시여!
감사합니다!
채연우,
내 파트너
해주라!

내 졸업 작품
파트너는
너밖에 없다!

예에?
아…, 저….

윤 선배님은
솔리스트 승부요.
연우 기죽일 일
있어요?

야, 너야말로
연우 기죽이는 말
아니야?
완전 무시잖아?

내가 처음부터
눈여겨 봤는데,
앞에 있어 하는 말이 아니고
진짜 보석감!
수줍음만 좀 없앨 수 있다면
훨씬 더 클 친구라고!

탁

어때, 채연우!
이 오빠가 좀
다듬을 수 있는
영광을
주시겠어요?

어허! 손은
왜 잡아요?

마! 애인도
아닌 주제에
왜 나서냐?

제 여자 친구니까요.
형보다는 서열이
높다는 말이죠.
아시겠어요?

호~응....
잘하면 자유인
이해준 종칠 일
생길지도?

선배님처럼은
안 될 거니까
걱정 마세요.

와아—,
재미있는데?
아무튼 좀
지켜보겠어.

안녕히
가세요.

가세요.

아이고~,
미치겠군.
뭐든 고백해버리고
싶어진다니까!!
저 미소!

갈게~!

bye-

조심해.
위험한
사람이야.

멋진
사람이야.

EXI

네가
뭘 알아?

아!

세상이 얼마나
험한 줄 알아?
오빠가 그러면
그런 줄 알아.

곱게 있으면
이 오빠가 네게
어울리는 애인도
구해주고 할 테니까.

다시 한번
맞춰 보자.

달깍

해준아…,
너의 그런 말들이
내게 얼마나
아픈지 모르지?

그럼 넌…,
나에게 넌 뭐지?
난…,
나는 또
네게 뭐지?

연우야,
왜….

목이 말라.

연우야!

너도
마실 거지?
물론 콜라.

No. 17.
이거 틀림없는
자리야!

이 사물함 쓴
사람들 모두
합격했다는 거
아니겠어?

전화위복이
될걸,
Lucky girl.

고맙습니다.

그럼….

땅 꺼지겠네.

처절한
한숨 소리!
경험해본
자만이
알 수 있지.

이런…

어떤 놈이야!
겁도 없이
이사 온 녀석!!

정해준 곳에
넣었을 뿐이에요.

어머니.
입욕 시간 또 초과예요.
그만 머리 감겨드릴게요.

저 시어머니….
잠시만 기다려.

잔 비우고….

선생님과 약속하고 오신 지 몇 시간도 안 지났어요.

되도록 빈 잔, 최대치 반의 반잔 하시기로.

나쁜 녀석! 그게 얼마짜리인 줄 알아?

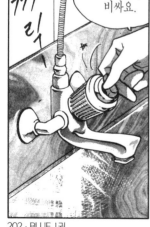

건강이 더 비싸요.

가장 행복한
순간에 죽음을
맞을 수 있다면…
정말 좋을 거야.

승표야.

예.

다음에 내가
이 세상을 떠날 때
다시 한번 머리를
감겨주겠니?

마지막은 꼭…
행복하고 싶어.

그럴게요.

잘 챙기셔야지.

딱
딱

떨어져 있는 걸
줍긴 했는데
주인 부재일 때는
어떡하지?

허락 맡고
주워야 하는지
어쩌는지
몰라서.

어쩌지?
또 내가 잘못한 거야?
주인을 알고 있으니
바로 전달하는 게
훨씬 낫다
생각했는데….

분실함에
넣어두면 되죠.

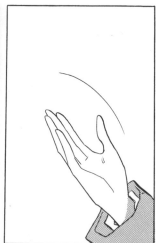

그럼,
다시 안으로 들어가서
분실함에
넣어야 하나?

고마워요.

다행이군.
중립 지점이 있어서.

그럼
고마운 값으로
하나 물어볼게.
뭐 그리 어려운 것은
아니고.

...이...

이름이 뭐야?

초면부터 계속
반토막 말씀하시는데,
그 값으로
대체하겠어요.

그래?

동작이 꽤 느리네?

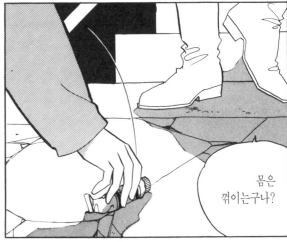

몸은
꺾이는구나?

좀 더
영리하게 굴었으면
그렇게 무릎 꿇지
않아도 됐을 거야,
신현빈!

See you—

돌아오셨군,
나의 비너스!

항 공
LINE

리틀 달링 하기엔
너무 징그러워~.
너 왜 그리 늙었니?
양준모~!!!

세 번
고꾸라져 보슈.
안 삭고 배기나.

너도
몽상가야.

집엔 연락
안 한 거야?

물론….

하여튼 누이도
평범하진 않수.

나야.

레슨은
어쩌고.

근육에 쥐가 났어.
이유 생각하느라.

괜찮아?

너 내게 기대하는 게 너무 많아.

넌 너무 어려워.

너의 안정적인 환경에서 보면 비정상도 매력적일 수 있겠지.

고통과 자극을 혼동하면서까지 동경하는 건 심히 곱게 자랐기 때문이야.

누구든 몇 개의 히든은 있잖아. 너도, 나도… 읽혀도 좋을 패를 내놓지.

연우 좋아해?

그건….

연우는
이해준 사랑해.

이해준도
연우 사랑해.
모두 알고 있는
사실이야.

난 승표, 연우
같은 무게로
사랑해.

너의 모호함이
연우를
슬프게 해.

승표야,
네가 정말
연우를….

넌 겁쟁이야.
추론의
길이만큼
거짓말을 늘어놓지.

BLUE

BLUE ANGEL 채연우

飛愛天使
그의 하늘이 되고 싶어…:

그녀의 희로애락, 꿈, 절망, 사랑, 춤,
모든 것이 해준의 손끝에서 변주된다.
해준을 향한 사랑은 신앙에 가깝다.
도망치라 말하는 해준의 냉정한 입술에
답 대신 눈물로 키스하던 날, 그녀는 깨닫는다.
한 걸음도 뒤로 움직이지 못하고
자신에게 두 번 절망하게 될 것을…:

카리스마라고
불렀을 때 마치
자신의 이름인 양
돌아봤어요.
본명은 아닐 테고.

원래 그렇게
말이 없어요?

웬만한 음반 제작자들 죄다 거절했다면서요?

장사꾼들과 할 얘기 없으니까….

조건이 까다로워요~. 하지만 뭐, 송 편집장 만났으니 이제 안심이여~.

암튼, 이 친구들 세상에 나가면 내가 제일 슬플 거요. 혼자 숨겨놓았던 보물 내놓는 기분~.

뭐, 언제고 이렇게 될 줄은 알았으니 어여 음반 내자고, 송 편집장~!!!

동감. 시간 낭비 말고 바로 진행하죠, 데뷔.

하고 싶은 것보다,

요즘 대중들 귀 밝아요.

해야 할 것이 많아지면 재미없는데….

예술과 상업성의 반비례는 옛말이죠. 최고는 누구나 알아보고 팬심은 행동으로 표현하죠.

절대 상대를
만난 것 같군.

솔직히
우려했던 부분이다.

자, 이하윤!
승복의 한 곡,
해야 하지
않나?

OK….

망설일
이유 있나?

NO~.

커피 주세요.

예ㅡ.

······?

O·K

···BLUE―.

좌절과 방황의
끝자락을 붙잡은
작은 빛 하나.

눈물로 얻은 희망의 빛.
느낄 수 있어.
당신도 외면의 슬픔을
알고 있는 거야.
나와 같은 빛으로…
…BLUE―.

와—, 역시!
문득문득 느끼는데,
넌 정말
감각이 달라.

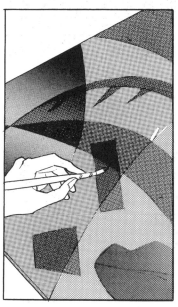

말로
설명하기 힘든
특별함,

독특함이라고
해야 할까?

그만해!
어필되지 않은
작품은
이름이 없어.

넌 너무 냉소적이야! 칭찬 정도는 받아들여~.

그래서 떨어졌잖아.

정 떼는 게 취미냐?

......

긍정적인 시선 좀 가져. 너무 튀면 미움받는다.

진품은 누구에게라도 인정받지. 아직 난 가짜야.

너 정말 엄청난 욕심꾸러기구나!

근데 준모 형 벌써 2주째 무소식이네. 없으니 너무 심심하다. 여행 갔나, 또…?

넌 주로 괴짜들에게 관심 두더라.

그 형은 날밤을 떡 먹듯 하고도 삼수까지 온 미스터리지.

……

탁

no touch~!!!
반항 시엔 조직의
짠맛을 보리라~!

으악 준모!

조용히 지나가는 게
좋아.

심호흡이 필요해.

화실 문을 열고
들어가기 전엔
마음의 준비를
단단히 해야 하거든.

스타일이
달라졌구나,
신현빈.

괜찮은데….

그렇게
여유 부리면 삼수도
모자라겠어요.

양준모 씨.

야~, 총명하고
다정한 이웃을
만났군.

다음부터
"씨" 자는 빼고
불러주겠어?

사적
애인에게만
허락한
호칭이거든.

설마…
그쪽에 관심 있는 건
아니지?

물론이에요.

혹시
부를 일이
생기면 그러죠.

고마워!
아, 도움이 될까
모르겠는데,
여자 연하에게는
오빠란 호칭을
주로 듣고 있어.

저도 도움이
될까 모르겠는데,
정신적 연하에겐
주로 '야' 자를
붙이죠.

안녕,
준모야!

벅
벅

푸하하하하

제법인데?

나 죽는 꼴
보고 싶냐?
기어코!

미안,
안 된다고
했잖아.

유부남이냐?
수도승이냐?
왜 여자를 마다해~,
완전 멀쩡한
놈이!!!

남은경
자다가 공연하는 여걸.
〈20세〉
주량: 맥주 5000cc
땅구 2중. 포커의 여왕.

대체
소개팅 거절
몇 번째냐~
정말…

다음에
꼭 기억할게.

얼…

덜컹.

…마!

bye!

잠시 설렘…

승표야!
내 친구 홍승표야!!
Good news 있단다!
뉴욕 공연 초대 받았다!!
2주 참가하게 됐어!!!

그래서
들떠 있었구나!

축하해!

응!
축하해줄 줄
알았어!

으히히히히—.

정신 좀 차려,
이해준.

이히이
히히히
히이

하루 종일 저래.

얼마나
가고 싶어 한
공연인데.
이해해.

아흐흐.

비(飛)….
해준이가 가장
행복해할 때
떠오르는
단어야.

너도 그래.

응?

해준이가
행복할 때
너도 행복해하지.
마치 거울처럼….

후—.
내 꿈을 조금
얻어낸 기분이야.
프로가 되면
그곳에서 뛰고
싶었거든.

넌 모든 걸
얻을 거야.

정말
그랬으면
좋겠어.

점심
뭘로 할까?

아, 어떡하지?
난 빼고 가야겠다.
초청 문제로
윤 선배랑
일이 있거든.

흑흑.
나도 괴로워.
정말 오랜만에
셋이 모였는데 말이야.
내 마음 알지?

왓!
급해졌어!
가야겠다!

저녁 때
전화할게!

이번 작품
제목이
birdy야.

내 점심 대신
아이스크림
연우 사줘.

Bye!

우리
뭐 먹을까?

아...

뭐든 좋아.

이하윤,
뭘 부를 거냐?

남의 노래는
죽어도 못 부를
놈인데…
뭘 보여주려나?

BLUE ROCK!

저…, 친구들이 오빠들 만나고 싶다고….

안녕하세요! 오빠들!

사인 받으러 왔어요!

연습 구경 좀 하면 안 되나요?

으악!

바쁘다. 나중에 오라 그래.

오빠!

휘유ㅡ.

인마! 애인 단속 좀 해라, 철딱서니 없게~.

무슨 말을 그렇게 해? 그애는 동생이야.

그리고 더 많은 팬들이 생길 텐데, 그런 식으로 대할 거야?

특히
상근 오빠.

계집애!

어디, 신영이 신랑
잘 나왔나 볼까?

얘는!

보자,
음….

어때?

멋있지!!!

♥♥♥♥♥♥♥♥♥
♥ 신영의 눈엔 ♥
♥ 상근 모습만 ♥
♥ 튀어 보임. ♥
♥♥♥♥♥♥♥♥♥

이 사람
알아…

응?
상근 오빠
만난 적 있어?
언제?

BULE…
공감지대(共感地帶).

BLUE….

안녕,
카리스마.

저는 지금
한국에
돌아와 있구요.
너무 하고 싶은
얘기가 많아요.
전화 주세요.

내가
뭐라고 했어.

당신
놓치지 않아.

계속 네가 사면
너무 미안하잖아,
내가.

미안할 거 없어.
너 없으면
오늘 저녁도
굶었을 거야.

혼자 먹는 거
죽어도 싫은 날
있잖아.

오늘 저녁도라고?

아, 디저트는
연우가 사라.
아이스크림으로
할까?

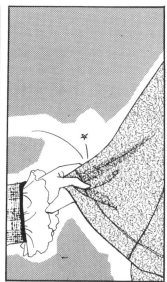

난
말 같은 거
잘 못해.

다시 굶거나
하지 마!
알아?

응? 승표야.

그래.

가자!
디저트 살게.

그거 말고
다른 건 안 돼?

괜찮아,
너 좋은 걸로.
뭐….

됐어.

싫어….

아이스크림이나
먹으러 가자.

괜찮다니까,
승표야.

CITY LIFE

호프
CITY LIFE

넌 울 거야.
아니, 웃을지도
모르지.

뭔데
그래?

안 듣는 게
좋다니까.

승표야….

KISS 하고 싶어.

농담이야.

......

부탁이 있어.
여자 액세서리
좀 골라줘.

으응?

정말
박사...

내가 세상에서
조건 없이
사랑하는 연인의
생일 선물.

연인?

승표야!
여자 친구
생겼구나?

와~!
언제 보여줄 거야?
해준이도 알아?

궁금해!
정말
보고 싶다!

같이 갈래?

그래도 돼?

첫 선이야.

Café ONE

그녀에게
널 보여주고
싶었거든.

어떻게
아셨어요?
연우.

이런,
초면이라고는 하지만
너무 익숙한 이름이
되어놔서
먼저 아는 척
해버렸군요.

승표에게 얘기
많이 들었어요.
정말 예쁘게
생겼네요.

대체 무슨 말씀을
하고 계신 거지?
한 번도 연우 이름을
말한 적이 없는데.

해준이는
좋겠구나.
이렇게 예쁜
애인을 두어서
말이야.

예?

어머니!

어떻게
함께 오지 않고,
짝을 내버려두고
다니면 못써요.
승표도 그렇고 서로
불편하지 않아요?

저희 셋은
친구예요.
해준이는 일이
있어 못….

정말~
남자들 사고방식 너무
위험한 구석이 많아요.
애인을 친구에게
맡긴다는 게 좀
그렇지 않아요?

우리 승표야 확실하지만,
요즘 친구들 모호한 행동
많이 해요.
감정의 자유란 이름을
붙이고 있지만
결국 우정에 불성실한
태도인 거예요.

어머니!

어머! 나 좀 봐!
쓸데없는 소릴 했네,
귀한 손님 앞에서.

어떻게
대접해야 하나….
뭘 좋아해요,
연우 양?

저희 저녁 먹고
왔습니다.

이런…,
모처럼의 기회를 놓쳤구나.
좋은 곳을
가려 했는데.

죄송합니다,
사장님.
정 회장님이
오셨습니다.

오, 이런!
깜빡할 뻔했구나!
큰 실수 할 뻔했어.
곧 나가겠다고
말씀드려요.

예.

연우 양, 미안해요. 오늘 만나서 반가웠고, 다음에 꼭 해준이랑 함께 와요.

예.

선약이 있었던 걸 잊다니. 나도 참….

오늘 집에 늦을지도 모르니까 먼저 자렴.

죄송해서 어떡해.
갑자기 찾아 봬서
많이 불편하셨나 봐,
어머니….

네가 죄송할 일이
뭐 있어?

나야말로 미안하다.

많이 불편했지?

그게…
죄송스럽게도
나 기뻐, 승표야.

정말 처음이지,
너와
오랜 친구지만
어머님께
인사드린 건.

내 잘못이야.

사실…
해준이 조금
질투했었어.

너희 집
맘껏 드나들 수
있는 거.

여자 친구,
첫사랑,
첫 KISS….
내가 원하는 이름을
너는 원치 않는다.

동상이몽(同床異夢).
서로 다른 그림자를
밟고 서 있다.
이 도시 어느 공간에도
나의 그림자는 없다.

함께 있어도,
손에 잡히도록
가까이 있어도.

이렇게 가까이
있어도….

BLUE

BLUE ROCK 이하윤

달의 사랑을 받고 싶었던 태양.

Rock 밴드 BLUE의 보컬.
카리스마로 대변되는 그의 언어는
오직 음악으로 표현될 뿐이다.
현빈과의 만남을 계기로
애증병존의 대상인 어머니를
이해하게 되지만 현빈의 마음을
헤아리진 않는다.

안녕하세요!
송 차장님!

마감 무사히
끝나셨나 봐요?

덕분에!

야호!
모두들, 안녕!

오셨어요?

쓸데없이
여긴
왜 와요?

TBS

모처럼 여유 시간.

속 쓰린 술친구 그만 끊고 영양가 있는 좋은 남자 헌팅하셔야죠.

습관대로 발길이 닿아 왔어요. 별일 없었죠?

잘됐다! 하제 씨 헌팅 하러 왔는데!

와, 스캔들이다!

아, ISM 에서 BLUE 멤버들 마음에 들어 한다던데?

김 부장이 그 친구들에게 갔었어요.

송 차장님! 정말 매니저로 나설 생각입니까?

하제 씨 도움이 필요해요.

1차 오디션을 갖기로 했어요. 형식적인 거지만 보여줘야 하니까.

진짜는 태양방송 10주년 기념 특별 기획 스타 오디션.

고정 채널을 갖고 시작할 수 있어요.

통과하면 전격 지원.

확정적인 NEW IDOL 탄생이죠.

그새 통화 중이시군.
아침부터
안부 전화 드릴 곳이
많은 모양이야.

삐
리
리리리리

뚝
뚝 뚝 뚝…

아! 선배님!
안녕하세요!
메모 들으셨군요!

예, 저, 아미 맞아요!
서울에 있는 것도
확실하죠!
하하….

아…, 정말
뵙고 싶었어요.

오늘
어떠세요?

야!
신현빈!
오랜만이다!

중학교 동창은
거의 안 만나지,
너?

음…,
역시 미대
쪽이구나!
어디 갔니?

나, 기은이!
기억 안 나?

아…, 안녕.
여전하구나.

축하해,
이해준!
소식 들었어.

와!
감사합니다,
여러분.

연우
저쪽에 있어!

친절도 하시지.
언제
커피 살게요.

어제는
즐거우셨나요?
마드모아젤.

대단히요,
무슈—.

어제 전화
하려고 보니까
너무 늦었지
뭐겠냐!

내 욕심으로
널 난처하게
할 수 있니.

피이ㅡ.
무심해서
까먹고
딴 소리!

그래서
꾹 참고
잤걸랑?

떠
벌
떠
벌

직통 전화
하나 놓아라,
연우야!

어제
승표 연인
만났다.

삐
그
덕

이게 무슨
소리야?!

아
아

연인이라니?
여자 친구?

너무
흥분한다,
해준아….

정말
미인이시더라,
승표 어머니.

장난치지 말고,
그거 정말이야?

어머님
만나 뵀어.

솔직히 놀랐어.
그토록
젊으신 줄 몰랐거든.
그동안…
누구도 말해주지
않았잖아.

……

어머님께
갔었다고?

승표야…,
무슨 생각을
하고 있는 거야.
왜 갑자기.

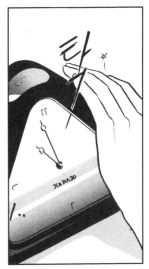

이런,
늦잠이라니.
사치다,
홍승표.

선물도
전해드리지 못했군.
서른아홉 번째 생일.
어머니….

하하하!

어머나!
호호호호호─.

남자…
웃음 소리?

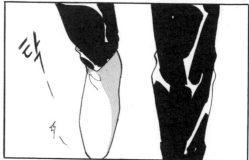

인사드려라.
정 회장님이셔.
엄마가 은혜를
입고 있는
분이시다.

오, 반가워요!
어머니를 닮아
잘생겼구만.

그럼 곧
준비하고
나올게요.

아, 그래요.

앉아요,
저기….

표정이
왜 그러니?

왜
어린애같이
구세요?

나도
사랑 받고
싶어.

난
사랑 받으면
안 되니?
행복할 권리
없는 거야?

그래서
행복하세요?

날 여왕처럼
생각해준다.

야…,
실감 나는데!
이런 연습실
하나 갖는 게
소원 아니었냐?

커피 말고
필요한 건
없어요?

예, 그거면
충분한데요.

하제 말이야,
소문보다
훨씬 상냥한
사람이네.

저 친구가
프로듀스
할 건가?
ISM 소속 맞지?

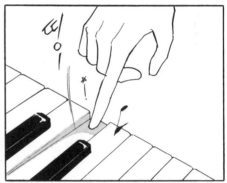

상당히 팀워크가 좋아! 누구라 할 것 없이 서로 어우러졌어요.

그냥 보시는 게 좋겠어요, 사장님. 가장 자연스러운 모습이에요.

두 사람이 확신하는 팀인데 더 이상 무슨 말이 필요하겠어요.

말한다고 알기나 하시나요.

브라보!

뭐…냐,
어느새.

뭐야,
어떻게 된 거야?
이게 오디션이었어?

충분해요!
여러분과
만나게 돼서
기쁩니다.
잘해봅시다!

…뭐가 이리
엉성한 거야?

우리 학예회 했냐? 기분이 좀 그렇다.

됐다니까 된 거지, 뭐. 매니저도 있잖아.

아, 한 가지!

머리 너무 길어요. 우리 방송에선 곤란하니 자르도록 해요. 나 정도면 어떨까?

그럼 그 머리로 직접 하시든가….

아, 사장님, 제 말씀 좀 들어보세요.

뭐라고?

아, 미친! 머리 길이 도긴개긴 이구만!

어머나!
이게 웬
러브신?

화끈한데?
이하윤!

아….,
소개할게.

어머,
아미 왔구나?

선배님!

……

으잉?…

밖에 있었어?
들어오지
않고 왜?

송 차장님
관계자셨어요?
하윤이 아니라?

애인 아니었어?

응? 아는
사이였어요,
두 사람?

유학 때 만난
친구예요.

어쩐지~.
외국물 먹어서
인사 방법이
달랐어!

우리도
인사해요.
반갑습니다!

하하하

하하

하하

어머!

그래요,
정식으로 인사할
사람이니까.
여러분의 패션,
메이크업을 책임질
수석 코디입니다!

하아미입니다!

퇴장할 테니까,
그만 열받으쇼!
쫀쫀하게
무슨 남자가 그래?
또 봅시다!

저 무쇠 주먹!
맞을 때마다
어깨가
주저 앉았다는 거
아니냐.

안녀엉~

봐, 원래는
멋진 어깨였는데
이렇게 기울어….

……

……

지독한 BLUE.

너를 색으로
표현하면
그 빛일 거다.

빵
빠
앙

오랜만이다,
홍승표!
여전히 약속은
잘 지키는구나.
기특하게.

좀 앉아라.
뭐 마실래?

그새 건수 좀
올리셨나?
내정 간섭에
이르셨네.

주인 행세 하려니
우습긴 해.
제1 상속자 앞에서
말이야. 하하.

......

큰아버지
오늘 못 오신다.
시카고
출장 가셨다.

왜 진작
말하지 않았어!

그럼 넌
들어올 생각도
안 했겠지?

아드님
잘 돌보라
하셨으니
놀아줘야지
어쩔 수
없잖아?

간신히 차지한
옆자린데,
큰 아버지 눈에 나면
곤란하거든.

정말 생각이
깊은 녀석이라면
문안 전화를
드려야 하는 거
아냐?

솔직하지
못하구나!
겁쟁이!

난 그랬다.
우리 아버지
돌아가셨을 때
너희 모두를
몰살시키고 싶었어.

방심하지 마라,
홍승표.
서열로 한참 아래라
쉽게 생각했다면
그것이 함정이다.

넌
내 상대가
못 돼.

두 번째
부인인 셈이야.
아니, 더 정확히
말하면…

그저 아이를 낳아준
생모일 뿐이지.
호적상으론
아무런 관계도
없는.

외할머니 돌아가시고
승표가
열다섯 되기 전까지는
생보라는 사실조차
알리지 못하고
사셨어.

그럼,
유학 가셨다는
어머니는….

호적상의 어머니는
승표를 인정하지 않았다.
견디다 못한 그분은
유학을 도피처로 삼고
가족과는 줄곧
따로 사셨어.

기억 나?
중3 무렵 승표,
연락 뜸하다
학교 그만둔다고
했던 거.

그때 생모를 만났고
아버지와 맞섰지.
모든 걸 알아버리고
그 집에 사는 건
힘겨웠을 거야.

전혀 몰랐어!
죽도록
힘들었을 텐데…

그 어떤 위로도
해주지 못했다니!!
말도 안 돼!!

너무해! 나라도 귀뜸해주었으면 더욱 신경 쓸 수 있었을 텐데. 왜….

녀석이 원하지 않았어. 그래서 놀랐다.

어머니 뵙고 왔다는 소리 듣고 모든 얘기 들은 줄 알았어. 어떤 결정을 내린 끝의 행동이었을 테니까.

어떤 결정이라니?

승표는 네게
힘든 모습
보이기
싫어했어.

근원적인 내용은
녀석의 입으로
듣게 될 거고.

내가 아는 한
승표는 친구로서보다
더 많이 널 좋아했다.

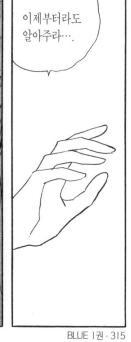

이제부터라도
알아주라….

난 녀석이
행복하면 좋겠어.

언제든 변함없이
친구를 위해서,

너희들의 우정을
다치고 있는 줄 몰랐어.
미안해, 승표야….
지금 난 너의 아픔을
위로하기보다
나의 연민으로 가득 차서
눈물을 흘리고 있어.

그것은 나를 위한
마지막 위로인 거니?

해준아…,
그래서 가까이 오지
않는 거였어?
언제나 그만큼 한
자리에서?

미안해,
승표야.
미안해….

당신 친구들, 잘 지내고 있어요.

성공했죠. 스위스에선 최고예요. 미국 시장 공략에 나섰으니까.

잠시 그들의 일을 했어요. 계약하자 했지만, 돌아와야 했어요.

내 첫 번째 스타를 당신으로 정했거든요.

모험을 했군. 음악을 그만둘 수도 있었는데.

하윤 씨는 rock을
할 수밖에 없어요.
비상구니까.

그 반대일지도.

Rock의
반항 정신에
충실하게?

……

애인은
구했어요?

아니.

3년 동안
한 번도?

응.

아직도 헤더 생각해요?

실로 오랜만에 듣는 이름이군.

사람의 잠재의식이란 위력적이지. 원치 않는 기억은 어느새 잊혀지거든.

나는요?

당신의 기억 속에 살아 있나요?

물론이야.

마지막 밤도?

아미…

걱정 말아요.
애인으로 나서진
않을 테니까.

갑자기 웬 술이야?

축하주!

이번엔 또 뭐야? 정식 입단이라도 한 거야?

자아…,

홍승표 군과,

채연우 양의 행복을 빌며.

해준아….

축하해!
두 사람에게
진심으로
축복을 보낸다!
사랑의 승리를
위하여!

WIN!
홍승표!
2:0!

……

얼굴 펴,
승자의 미소가
뭐 그래?

이해준,
너…

어머님 마음에 드셨겠지? 연우.

오해하고 있구나.

왜 그래? 잘해놓고.

어머니…, 연우…, 결국 힘들게 한 셈이 됐군.

잘 끝났잖아? 용기 있는 자가 사랑도 얻는 거다.

!

그동안 어려운 얘기 못했던 거.

연우에게
무슨 말을
한 거야?

어차피
알게 될 거 아닌가?
어머님까지
만난 건.

승표야.

네가 뭘 안다고
그래?
넌 너의 역할만
충실하면 돼.

너희 잘 어울려.

연우도
너의 마음
알았으니까.

연우는!

오직
너뿐이야!
그거 몰라?

장난 치지
말란 말이야!

날 힘들게
하지 마.
한 가지만이라도
잊고 싶어.

현빈이 가니?
지금 데생실에서
만두 파티 하는데
좀 먹고 가지
그래?

많이 드세요,
먼저 갈게요.

안녕! 아가씨!
역시
정확하군요!

신영아!

BLUE
그릴라.

여기
웬일이야?

오늘
이 근처에서
놀았거든.

귀가 시간과
맞을 것 같아
와봤는데 잘됐다!

많이 기다렸어?

조금.

저도 함께 기다렸습니다.

말했잖아, 선배 오빠. BLUE 기타….

처음 뵙겠습니다. 김상근입니다. 얘기 많이 들었습니다.

네…, 안녕하세요.

상근 오빠도 같은 방향. 그래서 겸사겸사.

그냥 둘이 데이트하지. 왜 데려와서 서로 불편하게….

데이트는 무슨! 오빠 보여달라고 했잖아, 너…!

오빠, 헌빈이 정말 예쁘죠?

난 저런 스타일 어려워. 너 없으면 무서워 말도 못 붙였을 거야.

재수하면서 기가 많이 꺾여서 그래요. 원래는 훨씬 명랑해요.

와~, 꺾인 기가 저 정도야? 야…, 하윤이 정도면 모를까, 보통 기로는 가까이 못 가겠다.

하윤 오빠는 내가 힘들던데….

그래! 우리 친구들하고 미팅해요, 오빠!

좋지! 솔로들이라 좋아할 거다.

언제부터였을까…, 이런 생소한 분위기가 주위를 둘러싼 것은.

모든 것이 낯선 얼굴을 하고 있다. 친한 친구의 목소리도 낯설고 서글프다.

사소하게 부딪치는 상황들 마저 끝없는 우울로 이어진다….

미안.
신영아.

화실에 아트 백을
놓고 왔지 뭐야.
오늘 마쳐야 할
숙제인데
깜빡했어.

다음에 보자.

안녕히 가세요.

미안해!
전화할게.

현빈아!

BLUE

기집애….

용서해….

난 널
미워하지 않았다.
아니, 무척
사랑했을 거다.

이 저주받은
시간 속에선
시간조차
굴절돼버리니까.
그 어떤 속삭임도
가시로 박힐 뿐이다.

뭐야…, 신현빈.
아까 나갔다더니
여기서 헤매고 있냐?

괜찮아?

나도
가능할까?

양준모 군이 말한
마음을 자유롭게
한다는 거…,

너 스스로를
먼저 용서해
주는 거야.

실패라는
이름표 대신
기회라는 이름을
달아주라고.

널 빛 속으로
끌어올릴 수
있는 건
바로 네 자신
뿐이니까.

다들 잘하는데요. 기량들이 뛰어나요!

말이 오디션이지, 신인 가요제나 다름없으니까요.

자유롭게
있을 수 있는
마지막 모습이니
손대지 않을게요.

다음부터는
전부 나한테
맡겨야 해요.

사장 말대로
결국 자르는 겨?

야생마 같은
긴 머리도
멋졌는데!

전문가들이
알아서
하겠지 뭐….

맞아요.
각자의 역할에
충실하면 돼요.

GOOD LUCK!
BLUE!

KING OF
ROCK!

—2권에서 계속—

BLUE

LEE EUN HYE SPECIAL EDITION
BLUE 1

2024년 5월 25일 초판 1쇄 발행

저자 이은혜

발행인 정동훈
편집인 여영아
편집책임 최유성
편집 양정희 김지용 김혜정 조은별
디자인 디자인플러스

발행처 (주)학산문화사
등록 1995년 7월 1일
등록번호 제3-632호
주소 서울특별시 동작구 상도로 282 학산빌딩
편집부 02-828-8988, 8836
마케팅 02-828-8986

KOMCA 승인필

ISBN 979-11-411-3206-4 (07650)
ISBN 979-11-411-3205-7 (세트)

값 16,500원